UN VISAGE APPUYÉ CONTRE LE MONDE

D1157365

De la même auteure

L'intervalle prolongé suivi de *La chute requise*, Saint-Lambert, Éditions du Noroît, coll. ''L'instant d'après'', 1983.

Hors champ, Saint-Lambert, Éditions du Noroît, 1985.

Les retouches de l'intime, Saint-Lambert, Éditions du Noroît, 1987.

Les corridors du temps, Trois-Rivières, Les Écrits des Forges, 1988.

Fragments du jour, édition à tirage limité, Paris, Bernard-Gabriel Lafabrie, 1990.

La vie, ses fragiles passages, Chaillé-sous-les-Ormeaux, Le Dé Bleu, 1990.

L'auteure a bénéficié d'une bourse du Ministère des Affaires culturelles du Québec pour écrire ce livre.

Les dessins originaux (techniques mixtes sur papier; 76 × 56 cm) sont reproduits à partir de photographies de Pierre Charrier.

Hélène Dorion

Un visage appuyé contre le monde

avec quatre dessins de
MARC GARNEAU

ÉDITIONS DU NOROÎT / LE DÉ BLEU

Données de catalogage avant publication (Canada)

Dorion, Hélène, 1958-

Un visage appuyé contre le monde

Poèmes.

ISBN 2-89018-204-5 (Editions du Noroît) -
      2-900768-89-6 (Le Dé bleu).

I. Titre.

PS8557.O74V57 1990   C841'.54   C90-096236-4
PS9557.O74V57 1990
PQ3919.2.D67V57 1990

DISTRIBUTION EN LIBRAIRIE:

Diffusion Prologue Inc.
2975, rue Sartelon
Ville Saint-Laurent, Québec
H4R 1E6

''Le Noroît souffle où il veut'', en partie grâce aux sub-
ventions du ministère des Affaires culturelles du Québec et du Conseil des Arts du Canada.

No d'éditeur: 171
Dépôt légal: 2e trimestre 1990
Bibliothèque nationale du Québec

ISBN: 2-89018-204-5 (Noroît)   Tous droits réservés
ISBN: 2.900768.89.6 (Dé Bleu) ©Éditions du Noroît/
Imprimé au Canada   Le Dé Bleu 1990

à C.P.

Lettre

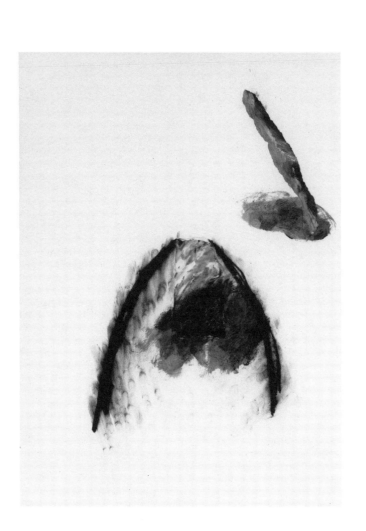

Neige légère, lente. Il n'est pas rare que le jour me laisse ainsi, éloignée des bruissements du monde, assez seule pour ne jamais cesser d'être seule. Une clarté se tient au fond de la nuit. Pierres, eaux, ciel; une lumière est descendue, vouée à l'ombre, au silence.

Sur la table, des lettres. Traces fragiles qui reposent sur ma vie, –passerelle au-dessus de l'absence.

Neige légère, comme si la poussière du monde revenait sur nous. Il reste parfois peu de choses: quelques traits sur le visage, les lignes retenues au bout des doigts, des fragments entassés par le temps. Frêles éclats répandus çà et là, comme si la marque légère n'était pas encore la marque, comme si quelques flocons n'étaient pas encore la neige.

Fracas, bourdonnements, jour qui gémit dans le jour. À l'écart de ce qui sans cesse s'éloigne, j'écoute les commencements que traverse une seconde. Par tous les angles à la fois, la vie est là, –irréparable mouvement d'ombres et d'éclaircies, envers et endroit d'une même saison, d'une même parole. La vie est là, qui quelquefois se brise sur elle-même. Au milieu de notre commune banalité, je vous écris, –je vous aime.

Neige légère et lente d'une nuit venue s'allonger entre le monde et moi. C'est toujours un même enfant qui revient à travers nous, toujours un même désir qui murmure –mon amour, et se laisse approcher par le désastre.

Vu par la fenêtre, le bord inentamé du jour. Le temps passe. Comme une blessure, certaines heures viennent et s'en vont, me laissent avec un regard, une solitude qui me jettent à distance des choses, de la réalité soulevée par quelques mots. Une faille se redresse à travers vos lettres, parmi ces miettes d'infini qu'ont rassemblées nos mains, nos voix.

À nouveau la nuit au milieu d'heures lentes. J'aimerais pouvoir vous rejoindre en de pareils moments, sentir avec vous le poids enfin supporté du vide sur notre âme, rester dans une paisible attention au silence ainsi versé, saisir doucement l'insaisissable.

Sur la table, vos lettres et les miennes, les traits d'une perte jamais épongée. Sans dedans ni dehors, elles me préservent du lieu inhabitable qu'est le manque sans un corps qui s'y donne.

Sans cesse notre voix nous échappe, et avec elle, ce que l'on est et ce que l'on fait. Parmi les couloirs interminables qu'emprunte l'écriture, trouverai-je votre présence?

Le plus souvent, nous marchons sans comprendre ce mouvement, sans entendre son pas, mais sachant qu'il faut aller au-delà d'un vide en nous, et qu'alors seulement commence notre marche. Ces moments-là, je pense au désert, à vous:

Il y a soudain le battement du coeur d'un oiseau; cela seul cassant l'air. Derrière moi, des pas que je sais avoir posés mais que le sol n'a pas retenus. Je voulais apprendre la soif. Le sable, c'est l'infini qui nous traverse lentement depuis une origine que nous ne savons nommer. Dépouillé de lui-même, le monde ramène sa blancheur. Elle seule maintenant soutient la mémoire que je refais. Plus loin je cherche encore à voir s'il y a quelqu'un.

Ma chair fondue au désert.

Pas d'autre événement dans la nuit que ces heures lentes où l'on tend l'oreille aux moindres signes de la vie et où l'on s'arrête devant quelques mots d'amour et de désespoir recueillis au fond des jours; pas d'autre événement qu'un silence adossé au désir, et cette folie de marcher encore, d'écrire ces lettres qui ne vous ramènent pas.

Je suis maintenant au plus près de l'évidement, là où ce que l'on est flotte au-dessus de nous-mêmes, fuyant, tenu à l'écart par on ne sait quelle perte ou en quelle extrémité du monde. Dans cet espace illimité, on ne prétend plus être davantage que des milliers de particules ramassées le long du temps, ni dire autre chose que ce qui nous échappe aussitôt.

Ma chair fondue au désert, dites-vous.

Neige légère dans la nuit lente. En elle reparaissent mes fragilités, secrètement affûtées par le froid auquel je suis retenue.

Sauvage et douce, l'ombre qui descend en nous érode nos certitudes. Juste cela, l'inexistence de ce qui relie. Nous ne savons que faire de l'étendue qui nous habite, sinon la vêtir de quelques paroles ou suivre maladroitement les trouées de lumière qui nous devancent. Et parfois, tenir un visage contre le nôtre.

Votre visage survit à chaque phrase déposée devant vous. Je vous imagine retenir l'une d'elles comme si votre âme pouvait en être consolée. J'écoute les battements de votre coeur à travers le détail de la vie, des choses aussi simples que la pluie sur les volets, une heure ou deux passées dans un café, les rues d'une ville, un poème.

Les lettres ne franchissent aucune distance; elles vont parmi d'autres passantes dans la gare du monde, là où rien n'existe au-delà de notre solitude. Il n'y a peut-être rien ni personne, mais je m'entête à fouiller l'ombre et l'écho, à tout réapprendre d'un seul mot venu comme un atome de présence sur la terre froide; je m'entête à rester là où un instant froisse la peau. Il n'y eut peut-être rien ni personne, pourtant votre visage demeure au bout de tous les autres.

Encore l'aube devant moi, encore ces lettres de vous comme un corridor où, sans apparaître, vous reparaissez pourtant. Votre corps est une mémoire de ce que je suis. Nous avons marché jusqu'à la chambre que renferme la chambre. Comme un écho de l'air, d'une ondée, de quelques étoiles, nous étions ces passages ininterrompus de la vie.

De très loin, je me penche sur ces lettres de vous qu'effleurent tour à tour nuits et jours, fissures et apaisements, désirs et pertes. Alors seulement, je vous écris encore.

Ce qui reste parfois

*Mais parce qu'**être ici**, c'est beaucoup; et que
tout, semble-t-il,*

*tout ce qui est d'ici, le périssable, nous réclame
et a besoin de nous;*

*étrangement il nous concerne: nous, périssa-
bles plus que tout.*

Rainer Maria Rilke

Vivre est un visage qui manque. Il faut s'inquiéter du moindre corps, chercher l'objet le plus proche comme s'il était une issue, savoir nommer l'heure d'un jour et la blessure qui nous traverse.

Il arrive que je ferme les yeux sur la vie, fatiguée d'être en deçà de ce qui accueille et éclaire. Parfois je longe une ombre; –je ne sais plus être proche.

Un regard qui frôle et s'éloigne, une parole balancée dans l'oubli; aussi quelques objets endommagés, une pièce déserte, l'horizon sans écho. Et toujours le trouble devant ce qui peut nous avaler, ajouter ce que nous sommes au poids du vide.

Rien ne nous soustrait au monde, à ce qui chaque jour exige de côtoyer la disparition et de s'en arracher. Peu d'événements nous sont donnés et il en faut tant pour s'approcher de la beauté.

Aimer si peu, si mal, –comme si je devais revenir du manque et de la détresse, m'appuyer sur la déchirure pour aller vers toi.

Une pierre lisse, le passage d'un oiseau sous les paupières, une chambre où s'entassent des années de lumière; sans trouver, je cherche cela en nous.

Il y a des jours où l'on pénètre comme dans une chambre vide. Les heures se déversent sur le corps. Lentement les choses se débarrassent de désirs qui les encombrent.

Quand ces jours reviennent vers nous, on essaie alors de se jeter ailleurs, dans un fragment de mémoire, une phrase continue, la mesure d'une musique. Mais le plus souvent, tout s'en va encore.

Ce soir je ne saurai pas te parler, t'écrire, te faire voir ce qui reste lorsqu'il ne reste rien.

La fin s'ouvre dans l'écho d'un pas, une lettre à venir, un tracé de la perte. On n'en finit jamais de se quitter, d'avancer maladroitement jusqu'à la mort. Combien de jours m'as-tu retenue ainsi, éloignée de mes certitudes?

Quelqu'un marche à mes côtés. Sur ce corps repose l'existence, ordinaire, fléchissante. L'humanité continue; grandeurs et petitesses s'amoncellent. Nous sommes ces quelques remous bordés par la nuit, ce peu d'événements que retient l'univers.

Un désert se faufile en chaque lieu
rôde un silence.

Je redescends jusqu'à la blessure du monde
commencée depuis toujours, scellée
à ce que nous sommes.

Jamais lavée de la nuit, je me tourne vers toi.
Tu vas parmi les choses les plus simples.
Feuilles, pierres, marées; ton corps s'échange
contre un peu de vent.

Ce matin quelques gestes
ramènent en nous la vie
fragile et emplie de ruines
une lueur sillonne nos corps
dans le tourment de voir se perdre
la nudité des heures
qui nous ressemblent.

Aimer nous effraie, chaque fois
frôle en nous la disparition.
Tout se regarde, sans jamais se laisser voir.
Penché sur moi, ton visage
défait ce que je suis, débarrasse l'amour
de ce qu'il fut.

À peine reparu, le jour s'allonge
sur le vide.
Un drap recouvre le désir
que tu as laissé comme seule certitude
en moi la nuit revient
soudain pour me parler de toi
les mots s'immobilisent.

Tout être enveloppe
ton absence.
Une à une, les minutes se brisent
encore une fois
cherchent à s'éloigner
à me devenir invisibles.

Encore une fois, la fêlure du temps
entasse les jours
qui nous laissent à nous-mêmes.

Je cesse de marcher, de toucher
ce qui me retient
de me perdre, je commence
par une phrase
qui va jusqu'à toi.

Jamais le désert ne trahit notre silence.
La faille continue à remuer
sous nos pas
en même temps que tremble ma voix
accordée à la tienne.

J'ouvre une fenêtre au vent. Comme la terre, je suis livrée aux courants.

La terre, souviens-toi: ce corps frêle qui nous dénudait, cette immense colline offerte à la lumière. Souviens-toi du grondement, de ce qui frémit soudain comme si la vie la plus forte était traversée du plus vulnérable; souviens-toi d'un vol d'oiseau soutenu par le vent et de la grâce nécessaire pour toucher le sol.

L'air neuf d'une fin de journée, un corridor élargi par nos pas, le recommencement de l'horizon. Juste cette résonance des choses, cette infatigable présence en nous.

Ce qui fait défaut n'est peut-être jamais qu'un regard, une passerelle qui va du désir au désir et veille inlassablement sur l'abîme. Je vais t'aimer, poser en toi mon visage. Ces mots viennent parmi ceux d'un soir voué à la douceur, à ce qui nous demande de souffler légèrement sur le monde.

Il faudrait ne plus marcher qu'en soi, à travers ces cavités grises, ces ombres qu'un instant, un seul instant, nous avons ajoutées à la pierre. Il faudrait que le bord de la fenêtre soit celui d'une image qui retient l'émotion et nous reporte à un début.

Quelque chose de la vie n'est jamais venu; –savoir de la faille qui ne répare pas.

Pour que s'arrête l'effacement, je me tourne vers ton amour. Parmi ces nuits que le jour ne précède plus, je pense à toi, à cette cavité grise que tu as glissée en moi. Ce n'est pas la disparition qui étonne, mais cette façon de ne plus l'attendre, alors même qu'on attend encore, parce que toujours la disparition, le manque, sa démesure, –toujours.

Un silence se fait et se défait. Nous devons veiller sur ce mouvement. Tout remue, expulse et rappelle l'obscurité.

Tu demandes de renouer avec la beauté d'un geste, d'une parole, de franchir ce qui est ainsi tenu à distance de nous. Pour dire où l'on va et qui nous attend, il y a la route que commence cette minute.

Le temps continue dans un regard jamais croisé. Je voudrais ne plus respirer qu'à travers lui, ne plus écrire que ce qu'il tait.

Qui peut dire ce qui blesse et désole? Un rythme, un relief, un remous imprévu. On ne sait plus; on est seul, et pourtant on peut encore se pencher sur l'ombre, pressentir un commencement, enfouir notre visage dans nos mains.

Un jour au bout des doigts. Toujours chaque événement, chaque muscle qui bouge, chaque miette du temps nous raccompagnent. Cela seul: –une salle d'attente, des couloirs de métro, une cabine téléphonique, un début de phrase, le bruit du vent ou d'un avion, une pièce familière. Tous nos désirs, nos espoirs et nos désastres y sont rattachés. Nous sommes ces notations quotidiennes que l'histoire oublie, ces détails balancés du dehors au dedans, ces banales rencontres qui nous amarrent.

Notre corps s'appuie sur une éternité périssable contenue dans l'instant qui vient. Bruissement du monde parmi les bruissements du monde, je n'ai d'autre respiration que celle qui émane d'une particule.

Frémir du plus petit. Ce qui hante et boule-
verse se tient le plus souvent au milieu de
faits courants et dérisoires: une parole mala-
droite, un rendez-vous manqué, une lettre
jamais reçue; –quelque chose de brisé, de
perdu, de raté. La répétition nous atteint
comme des milliers de chocs qui font battre
le coeur.

Ainsi ces mots qui traînent sur la table depuis
des mois et m'interrogent patiemment: *–d'où
venez-vous? qui êtes-vous? où allez-vous?* Ainsi
ces phrases délivrées au hasard: *–que faites-
vous? que dites-vous?* L'un de ces moments
s'enfonce parfois en nous et c'est avec lui que
l'on continue alors à marcher, à écrire, à tendre le bras pour ouvrir la porte de chez soi.

C'est dimanche. Café, journal, cinéma; une à une, les heures passent, puis les semaines, les années. Vivant, on se retrouve sans vie; le monde a toujours ce goût d'effroi. On veille sur le sommeil de l'autre, de cette autre vie assourdie mais qui ne renonce pas, grince encore, rôde inlassablement tout près, –comme en cet instant d'un dimanche adossé au silence où je vais parmi les pas anonymes, percevant soudain la solitude rivée aux regards, partout ce même écho de fragilité, ces morceaux de mort qui, pour un rien, collent à nous.

Grêle qui perce le jour. Il suffit peut-être de
se laisser chavirer par un bruit d'eau, de
froid, de terre; de sentir parmi nos désordres
les quelques secondes qui se rivent à nous
et renversent l'horizon.

Je regarde ces corps chargés d'immensité,
trop vastes pour nos mémoires, pour nos
gestes qu'enserre la frayeur. Un espace illimité tremble en nous, tenu à l'étroit par ce
qui craint de naître mais ne cesse de tarau-
der la peau.

Quelqu'un ne sépare plus les bords du
monde. Quelqu'un parle d'une blessure au
fond des choses et de la clarté dissimulée
dans une chambre, des halls de gare, une
date, un sourire.

On peut très bien vivre
sans rien d'autre que ces tendresses journalières:
une carte postale dans la boîte, un bruit de vague
le bleu sur la plaine, les mots d'un poème.
L'univers réduit à peu d'attaches
au trajet ordinaire
de sa propre mort.

On peut très bien n'être qu'une aventure d'atomes
et de questions dérisoires.

Tu disais: –nos vies sont reliées par ces détails
qui font nos plaisirs, nos regards incertains.
Une sensation commune du temps nous unit
à travers l'eau qui bout, une promenade
quelques habitudes, un rire soudain.

Chaque chose est une rampe
le long du temps.

Il suffit parfois de peu
pour que l'on cesse d'être effrayé par le monde.
Des milliers de faits, mille fois nommés
demandent de se dresser
au-delà de la mort, de tendre la main
au passage d'un instant.

Toutes les raisons d'avoir peur
ont été dites
dans les chambres, sur les quais des fleuves
on retrouve quelquefois
les débris de nos blessures.

Un jour on me demandera ce qui me reste.
Je n'aurai jamais aimé que toi.

De quelques poussées du coeur
une lumière aura resurgi
traversée de contraires
je m'y glisserai lentement.

Je n'aurai aimé que toi, que cette promesse
enfin tenue d'un écho.

Sur les chemins que nous n'aurons pas pris
les saisons se seront renversées.
Rien n'aura disparu, ne manqueront
ni la forêt, ni les pierres, ni le vide
des heures passées sans toi.

Où aller?
Y a-t-il pour moi un lieu
comme pour la rivière l'océan?

Nicolaï Kantchev

Je ne sais pas encore

Si le vent retient en lui la sensation du corps;
si l'on meurt de ne jamais faire un avec le visible;
s'il y a quelqu'un au bord des jours fragiles
qui trace quelque limite au chaos, à l'usure du monde
à l'ombre qui nous survit;

je ne sais pas encore

voyager dans l'étrangeté
d'un paysage, d'une rue, d'un continent
ou celle d'un visage dessiné par l'amour
et sa disparition.

Comment m'élever jusqu'à être
vraiment humaine; laisser venir à moi chaque signe
d'une présence écrite
comme un regard qui ne me quitterait plus;

je ne sais pas encore

poser ma main
sur une vérité de vivre;
respirer légèrement à la lisière des saisons.

Je ne sais pas encore

quel est ce trouble
qui commence avec les mots
les plus communs parmi ceux que j'écris
pour toi comme une route
où l'on marcherait loin devant nous.

Je ne sais pas encore

où j'en suis
avec les minutes qui basculent en moi
ni où tu en es
avec ces événements souvent banals
qui font l'histoire
et ne la font pas.

Je ne sais pas encore

pourquoi se perd l'évidence
de quelques gestes par exemple
se lier aux secondes
qui égrènent une vie entière
sentir simplement
ce qui est là, cette tranquillité
maintenue comme un rebord du temps

ni pourquoi rien ne répond
à ces voix contraires
qui évident le monde;
nos commencements toujours recommencés.

Je ne sais pas encore passer
à travers une ombre, comme on passe
dans une chambre d'hôtel, une salle d'attente;
ces liens minuscules du silence
enfoui en nous.

Je ne sais pas encore me perdre
dans ce qui vient
et ne reviendra pas;
aller parmi ces jours sans nom, ces heures
où l'on ne trouve rien
à poser de nous-même
mais dont nos mains gardent trace
comme d'inutiles déchirures.

Je ne sais pas encore donner
ni recevoir cette beauté
qui reparaît en nous, pour un instant
une éternité que l'on sait périssable.

Prendre au ciel ce qu'il contient
de notre âme, cet état de gravité
et d'apesanteur où l'on perd pied
et le redonner à l'aube, à la nuit
à chaque chose affaiblie par le vide;

je ne sais pas encore

m'appuyer sur le temps
qui décide de ce qui nous reste
au bout d'une allée
pour en éclairer une autre.

Devenir tel un arbre qui attend
qu'en lui se retire un peu de vie
comme un espace donné à la vie
qui se dénoue là où elle s'achève;

je ne sais pas encore.

Sans le dire, sans jamais l'écrire
ce besoin de toi
des heures qui réparent la faille
et où l'on sait ce qu'est aimer
être aimé, traverser nos questions sans réponse;
ces instants où rien ne se dérobe
à ce que nous sommes
et où l'on ne fait qu'un avec la beauté
qui borde l'émotion
et chaque fois joue ses possibles
à travers nous;

je ne sais pas encore

à qui je parle, ni ce qui s'échappe
de mon âme et va respirer en ton âme.

Par quel chemin entrons-nous dans le désastre
à travers celui d'un arbre
érodé par la pluie, ébranlé par une secousse
de la terre qui ne peut fuir
nos cruautés, ce visage humain
débarrassé de lui-même;

par quel chemin les fleuves, l'herbe, l'oiseau
que nous sommes
ont-ils cessé de veiller sur eux-mêmes;

je ne sais pas encore

qui était et n'est plus
derrière nos regards;
qui nous sauvait
de nous-mêmes et ne nous sauve plus.

Si la vie n'est pas
ce vers quoi nous ne pouvons retourner;
s'il y a quelque consolation
pour la tristesse qui revient
comme une alerte, la marque visible
de ce qui lentement se défait
en chacun de nous, le monde cherche sa beauté
et s'il devrait éviter la douleur
je ne sais pas encore.

Pourquoi cette ombre, ce silence
versés dans nos mains
ces manques insaisissables;
au fond de l'air, un oiseau déploie ses ailes
et s'il devrait éviter la douleur
je ne sais pas encore.

Aurons-nous le temps d'aller très loin
de traverser les carrefours, les mers, les nuages
d'habiter ce monde qui va parmi nos pas
d'un infini secret à l'autre, pourrons-nous écouter
le remuement des corps à travers le sable;
aurons-nous le temps
de tout nous dire et d'arrêter d'être effrayés
par nos tendresses, nos chutes communes;

pourrons-nous tout écrire
d'un passage du vent sur nos visages
ces murmures de l'univers, ces éclats d'immensité;
aurons-nous le temps de trouver
un mètre carré de terre et d'y vivre
ce qui nous échappe;

je ne sais pas encore.

Lettre, encore

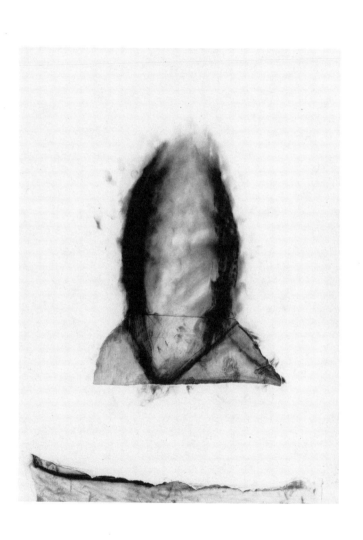

Assauts de la vie sur elle-même; appels, silences répétés de l'histoire. Qui me précède et qui se tient derrière? Assauts d'une passion sur mon âme. Qui peut encore se mesurer à l'immensité de l'ombre, à son corps indocile?

Cette nuit, l'attente est une mémoire suspendue au-dessus de ce que j'ai été, de ce que jamais je n'ai été. Un vent revient. Près de moi ce mot, –perte, dont rien ne nous préserve. C'est toujours avec un même tourment que je vous écris, que je vous aime.

Comment trouver ce qui parfois manque à tout?

Fêlures, craquements de notes qui tentent de s'arracher au provisoire. Fausses dates, oublis, retards. Où vais-je et qui m'attend? Je regarde le jour; je ne peux venir que de lui.

Lettres, –terriblement semblables à nos pas, qui mêlent détresse et apaisement, doute et certitude.

Ce que je ne vous ai pas écrit interroge nos éternités passagères. Aimer ne se recommence pas. Devant moi ces quelques balises: la posture d'un arbre, les ondulations d'un brouillard, une route accrochée au temps, à une lettre.

Matin de tremblement. Sous une pluie mêlée de glace, votre voix, –trop lointaine pour que s'entendent les mots. Mais sans cesse un murmure perce mon âme. Au dehors une pluie mêlée de glace et, sur la table, une lettre impraticable comme le sont quelquefois le silence, la vie, votre regard.

Rien ne dit ce qui est nécessaire ou le deviendra. En somme, ce que l'on tait n'existe peut-être pas.

Je vous écris; je ne comble rien. Un train s'en va encore et me laisse avec des milliers de solitudes resserrées en une seule.

Quelqu'un demande ce qui reste des départs et des arrivées, des appels persistants au fond de nous, de nos désirs tourmentés. Je revois l'immuable poussée d'une saison sur une autre, le glissement d'un avion sur le vide, un désert sous chaque pas, –et partout votre visage comme une lumière accolée au chemin.

Lettre, encore. Impasses et retours, éclats de nos vies qui se touchent. Un point sur la terre se joint à un autre, s'y enfouit, cherche et trouve une origine. Une lettre encore, témoin de nos recommencements.

Est-ce pour regarder, entendre, marcher ainsi près de vous que je descelle chaque phrase avec la mémoire de votre amour? Est-ce pour l'inconnu vers lequel je serai, comme à chaque fois, reconduite? Est-ce pour ces mots, –trouble, infini, splendeur? ou pour la distance que suspend mon nom affluant de vos veines?

Des villes, des paysages, sans autre contour
que celui du temps, comme les fragments
d'une même histoire. Une voiture, un écho,
la poussière; tout va et vient, arrive et repart.
On ne sait certaines choses que trop tard et
alors on n'en parle plus, sinon quelques rares
fois, avec peine.

Vous dites –c'est vers vous que je marche;
que dites-vous? Une phrase cherche à respirer. Elle remue lentement dans cette nuit où
je vous écris encore. Ces mots, et quelques
autres, sont telle une brèche qui, devant moi,
attendrait patiemment.

Au dehors une pluie mêlée de froid. Le froid, l'expérience de la fin.

J'aurais voulu traverser nos obscurités, me délivrer de l'achèvement, aller plus loin que cette seconde qui me regarde trembler. Rien qui puisse arrêter la blessure de s'enfoncer. À travers nous, quelque chose va vers la douleur. On sait que s'entassent nos pertes, et que vivre, c'est rester là, privé d'appui. On sait. Pourtant on cherche encore: amour, lumière, consolation. Et parfois je cherche ce qui est là, à mes côtés, –lueur qui est déjà la clarté. On ne sait pas.

Pertes et connivences, traversées; vous lire et vous écrire ramènent cette part indéracinable de ce que je suis.

Parlez-moi, oui, cela seul, comme une tonalité de vivre, un regard dérobé au réel et qui me sera redonné. Parlez-moi comme un vent soutient l'oiseau, le pousse derrière l'horizon. Parlez-moi, car le temps nous recouvre, et demain il fera un autre temps, un autre amour.

Certaines lettres plus que d'autres nous demeurent illisibles, se dressent entre des voix contraires, cherchent sans l'atteindre une origine. Ainsi cette phrase, enfermée dans des milliers d'enveloppes, –je vous aime–, dédiée à la folie, au désastre, à un train qui s'éloigne. De telles phrases, répétées à l'infini, jamais répétées.

Comme des questions posées au monde, quelques mots, les plus simples toujours, séjournent au fond des lettres, attendent qu'on les saisisse doucement.

Je veille sur le vent, des résidus de silence, un oiseau qui a cessé de battre des ailes. Rien ne me préserve de cette vie; la consolation ne viendra pas. Je ferme les yeux devant vous. Je ne prétends pas trouver place dans la durée d'un amour. Je ne comprends que peu de choses.

Une ombre sur le visage maintient la lumière. Mais on ne sait pas. Et j'ai perdu ce que je cherchais: vous.

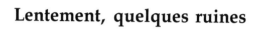

Lentement, quelques ruines

Peut-être la mémoire est-elle, comme un paysage, une multitude d'événements contigus, d'images simultanées.

Des paysages se croisent, basculent à la limite de l'horizon. C'est là que nous étions, que nous sommes; –état de vide et de trop-plein d'un corps adossé à la terre.

Patiemment nous veillons sur une blessure qui ne guérit pas, cherchant un passage parmi les ruines d'une humanité obscurcie, retenue sans l'être par quelques cellules exiguës.

Angles, parois, brèches: –toute chose se heurte à une autre, se dérobe et revient, un peu plus sombre, un peu plus tremblante. Certaines routes sont promises à la perte, à cet instant irréparable où l'on referme la porte derrière soi.

Depuis la colline, on peut apercevoir une ville que seul le regard atteint encore. Une lumière grise perce ma peau. Je n'ai plus d'autre souffle que celui d'un vent, plus d'autre appui que la terre. Vues de haut, les ruines instruisent de la beauté d'une pierre élimée, d'un chemin éclairci par le temps.

Le regard se déplace, comme si un battement d'ailes renversait soudain l'espace entier, découvrait mon visage. Quelque chose en moi se déchire; peut-être la certitude de mon humanité, de ce qui chaque fois s'écarte, disparaît devant la vie. L'étendue demande qu'on s'y perde, qu'on y laisse un peu de nous-mêmes.

Je ferme les yeux et aussitôt la colline m'enferme en elle. Villes, chambres dispersées çà et là. Je me penche sur ce qui surgit en même temps qu'un paysage, en même temps qu'une absence.

Lentement, quelques ruines, le pari recommencé de ce que nous sommes. Tu inventes des rues semblables à nos corps, rues cernées de désirs, –aube versée dans les veines du temps.

Nous avons franchi un pont tendu depuis toujours au-dessus de nos manques sans fond. Qui retenait la nuit de venir? –car nous avons marché plus loin que nous, sans jamais dériver de ce qui sépare et réunit.

Ce que je n'ai su dire, peut-être l'écrirai-je, maintenant que reparaît la mer, –maintenant que reparaissent la distance et la perte, ces traits d'un paysage enfoui en nous. Ce que je n'ai su te dire s'écrit dans une nuit qui te rappelle encore, comme si mon ombre s'amplifiait de te savoir ailleurs. Quelque chose n'aura jamais lieu, que tu as pourtant posé sur ma vie.

De très loin, une pierre cherche le sillage d'une autre. Parfois on avance ainsi, parmi nos éclats d'éternité, jamais rassasié de la douceur que ramène une voix, du trouble d'un regard, de la légèreté d'un geste. Vents, sables, rochers; tout se jette sur ton absence, sans l'ensevelir, sans qu'elle cesse de se dresser en moi.

Ce que l'on sait nommer nous contient. Une ruelle, un carrefour, la colline. –Mon amour. Et tu reparais comme une ligne de l'étendue, son bord insoutenable.

Chaque fois, je suis ici empêchée de commencer. Je descends dans cette vie qui a chaviré en moi. La répétition des choses, un reflet naissant, une phrase immobile; la seconde vers laquelle je vais se met à vaciller. Fragile et proche, tu te penches sur le silence.

À travers nous, le monde est touché par la douleur, la solitude, la désolation.

Quelqu'un passe, qui ne reviendra pas. On croit comprendre. On imagine qu'il n'y a ni commencement ni fin, et que chaque amour est trop grand pour nous. Tôt ou tard reparaîtra cette déchirure, –ce même état de perte auquel nous ne sommes jamais préparés.

Arête de l'horizon devenue une entaille. Quelquefois on ne peut plus aller vers la disparition. Et pourtant il faut encore se maintenir dans la dérive, poursuivre dans l'effleurement du vide, s'instruire de ce qui cède brusquement en nous: beauté qui, croyait-on, ne manquerait jamais.

Le temps pose des éternités, puis, sans rien dire, les reprend. Amour, lumière, consolation; parole lointaine, trouée de regrets, infiniment blessée. Une route de terre, la forêt, les rives imparfaites d'un fleuve; toute ville s'oublie. Un vent me reconduit jusqu'à toi. Je murmure –mon amour, et devant moi le paysage résonne du trouble ainsi nommé.

Lentement, quelques ruines. Mon visage contre ta poitrine, je pense à cet instant fugace, à nos vulnérabilités qui frémissent, à cette faille toujours possible, –parce que je t'aime.

Début du jour. Un oiseau meurt et je reste sans voix, longeant ces tragédies individuelles et communes, cette extrémité de l'horizon qui ramène ce que j'ai aimé et laissé derrière moi.

La vie: présence, musique, tendresse qui parfois, pour un bref moment, nous sauvent.

Une phrase s'est renversée dans tes yeux. Je la recueille avec cette solitude qui toujours rôde entre les mots, nous cherche inlassablement, par tous les angles, s'approche.

Des maisons blanches, des voies étroites. Mon corps effleure ce passé comme s'il était le présent. Tant de paroles maladroitement répandues sur l'absence, et le plus souvent, il suffit de si peu pour rappeler ce qui nous échappe, revenir à quelques vérités que rien ne trahira.

Quelqu'un demande où l'on va. Peut-être vers ce qui dénude; peut-être allons-nous vers une ombre qui permet de voir, ou un regard qui fait que l'on n'est plus enfermé. Peut-être allons-nous ainsi.

Le rivage ne sauve plus. Dans ce qui se retire ainsi, –où nos pas se maintiennent-ils? je m'appuie à la terre, à l'heure exacte de ce jour, à la nudité d'un arbre qui est aussi la mienne.

Derrière moi, quelques villes. Je ne cherche plus à savoir qui je suis mais comment être. La vie nous entoure, qui ne départage plus l'ici et l'ailleurs.

Ce qui se laisse saisir de l'étendue n'est jamais qu'une ligne inachevée qui se tient sur le rebord du monde, perd pied un instant pour être aussitôt aspirée par l'invisible. Nos souvenirs s'échangent contre une ou deux certitudes. Le paysage m'ébranle encore, me permet de croire à ta voix. Maison commune du souffle, distance soutenable, –enfin soutenue.

Ce n'est plus arrêter le temps que je désire, mais le mêler à mes pas. Je reviens d'où je ne suis jamais partie.

Comme des balles perdues, nos paroles s'échappent, nous laissent désespérément libres. Parfois notre vie va ainsi, s'éloigne en emportant un peu de ce que l'on est et de ce que l'on aime.

À travers quoi les heures nous déportent-elles sans retour? Villes, paysages; mille noms pour un seul écho, une éternité qui repose au fond des jours.

La ruine délivre un passé sans contraire. La terre se retourne dans le très vaste silence de nos corps qui éprouvent le passage.

Un visage appuyé contre le monde

Le vent remue dans le vent. Tout est là, gravé dans la respiration des choses qui s'étirent en nous. Sables, fenêtres, bruissements; le monde se lave devant mes yeux, pousse jusqu'à la lisière du jour les visages de sa clarté. Ce qui était là depuis toujours se déplie: mélange articulé de pesanteurs et de légèretés à travers lequel nous apprenons à durer.

Ton regard, ta voix, tes gestes; on sait combien l'obscurité nous guette chaque fois, combien nous avalent quelques remous.

Tu as dit: –recommençons, comme on dit commencer.

Fragiles fondations de ce que nous sommes. Aventures d'un peu d'air et de sang, pulsations d'ombres et de lumières; collisions de particules arrachées à l'univers, petites infinités endiguées sous le réel.

Pourtant quelque chose est soudé au fond de l'âme comme une origine. Une lueur y danse, oubliée ou inaperçue mais qui cille et se refait à chaque heurt. En cette vie qui nous accueille, il faut recommencer: s'éprendre d'une phrase qui revient, de la transparence d'un nuage, des inclinaisons de l'arbre; faire halte devant un corps qui s'élève et s'ébroue; regarder par-delà la fracture qui nous obscurcit.

Tu as dit: –le monde bourdonne dans nos mains, comme on dit vivre.

La fenêtre donnait sur un fond d'éternité. La peur, un instant, a cessé de frémir. Ton visage contre ma poitrine, j'ai compris que jamais je n'avais su donner, mêler mon souffle au vent, jeter ce que j'étais dans cette multitude de choses simples qui tremblent sous ma peau. J'ai su qu'une vérité irremplaçable se dressait devant moi, –qu'il me fallait recueillir.

Dans sa poussée, le temps froisse au passage certaines avenues qui nous retiennent encore. En marche depuis toujours, la faille nous atteint, et tout éclat y est englouti. De cette opacité, quelque chose demeure irréparable, à travers quoi nous continuons d'avancer. C'est dans cet espace que nos mains reçoivent tendresses et cruautés, que sont bradés nos désirs et que s'aggrave la solitude.

S'arrêter à cet arrangement des heures attachées au jour, à cette lumière que je n'ai jamais quittée. Autour de moi s'entendent de menues vibrations. Je m'arrête devant une pierre, le murmure de l'ombre. Les secondes se lient et se délient en un geste sans gravité. Je ne suis qu'un mouvement de plus de cette danse hésitante et nécessaire.

Je retrouve mon corps désencombré de pesanteur, irrigué par une couleur du ciel, un brin d'herbe, un visage. Le plus fragile remue au coin d'une veine, emmêlé aux voix continues qui me traversent. C'est dans ce dénuement que nous commençons, comme on dit continuer; c'est ici que la blessure soigne la blessure, et que ce qui brûle éclaircit.

Tout repose dans l'espace où se tenir: abandons gravés dans un regard, vérités insurmontables. Tout se bouscule pour ne jamais cesser d'exister. Quelque chose en nous absorbe lueurs et obscurités, refait chaque fois un tracé de bonheurs et de tourments. Dans cet aveuglement commun, nous apprenons à épeler la détresse. Le jour nous écoute. À lui se confient nos pas, se soudent nos mains.

Tu as dit: –t'aimer encore, comme on dit aimer.

J'ai laissé venir à moi cette clarté. Tu as vu la déchirure qui frôle puis s'éloigne. Je suis allée vers ce que je n'avais jamais été, le visage appuyé contre le monde.

Lettre, fin

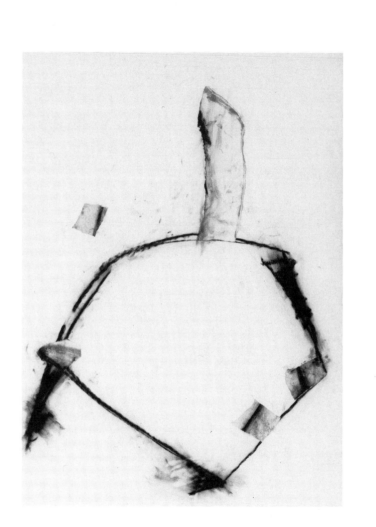

Neige légère, lente. La vie m'arrache doucement à ce que je suis, me devient habitable,
parce qu'habitée. Mes pensées vous retrou-
vent. Peut-être êtes-vous ailleurs déjà, en un
autre désir, une autre lettre qui, secrètement,
vous attendait. La nuit se livre au jour et je
ne crains plus de me perdre dans ces renver-
sements, de m'unir à chacune des particules que projette une seconde.

Je vous ai écrit, une dernière fois. J'ai parlé
d'une blessure en nous et au fond des choses; de sa banalité, de l'impossibilité de fer-
mer les yeux, de ne pas voir en ces quelques
mots, –amour, fissure, détresse–, notre
humanité intime et commune.

Neige légère et lente. Quelque chose nous
maintient dans la distance comme en une
désolation immuable, souveraine.

Quelqu'un vient et repart, nous laisse avec ces murs qui tiennent bon, ces chemins séparés d'eux-mêmes, ces corps remplis de cellules inemployées, de crevasses où disparaissent nos espoirs. Quelqu'un vient, nous abandonne. Seule reste la vie complice du jour et de la nuit; seul demeure ce peu de paysage auquel nous sommes amarrés comme à une voix qui fait battre le coeur.

Nous ne connaîtrons peut-être jamais ce qu'il y a de plus secret dans une seconde qui blesse ou guérit d'une autre seconde; peut-être ne saurons-nous jamais aimer avec ces mains de fragiles émotions qui nous élèvent et nous engloutissent; peut-être vivrons-nous à jamais avec des lettres inachevées, perdues, illisibles.

Début de nuit. Reste des mots qu'aucune phrase n'a su retenir. Reste cela, ce silence.

Je marche dans les rues. Qui sait si toutes les lettres d'amour commencées, lues, déchirées, écrites quelque part en cet instant ne sont pas les éclats d'une seule âme? Début de nuit, –je vous aime. Reste cela, ce visage donné à chaque chose.

Neige légère dans la nuit lente. Chaque lettre atténue votre absence, mais c'est si peu pour contenir ce qui vous appelle encore, ce désir sans origine ni fin.

Les montagnes, le lac, des nuages; tout se tait devant moi, tout me déborde et va, indifférent, au-delà de mes joies et tourments les plus dérisoires.

Nulle part où aller: le seul chemin que nous connaissions. Bien avant de vous écrire cette lettre, je portais avec moi son désastre et sa grandeur, la possibilité d'appeler amour ce qui va jusqu'à perte de vue et disparaît derrière l'horizon.

Nous marchons vers de fugitives vérités, ne cherchant jamais qu'à retrouver une âme promise, à sauver un peu de ce monde qui chaque fois s'éloigne avec un visage. Nous n'avons nulle part où aller et c'est là notre route, l'instant de clarté qui nous accueille.

Et plus loin, la nuit dans laquelle il se jettera bientôt.

Le passage: telle est la figure de l'éternité.

Marc Le Bot

Table

Cet ouvrage, dont la conception graphique est de l'auteure, a été composé en caractères Palacio corps 11 par les Ateliers C.M. Inc. et achevé d'imprimer par l'Imprimerie Marquis Ltée le seizième jour du mois d'avril mil neuf cent quatre-vingt-dix pour le compte des Éditions du Noroît de Montréal et du Dé Bleu de Chaillé-sous-les-Ormeaux. L'édition originale comprend 700 exemplaires.

La deuxième édition a été achevée d'imprimer le quatrième jour du mois de juillet mil neuf cent quatre-vingt onze.

Cette troisième édition a été achevée d'imprimer le sixième jour du mois d'octobre mil neuf cent quatre-vingt treize.